Guuleed Iyo Bahalkii

Gunilla Bergström

Kani waa Guuleed.
Isagu ma seexan karo.
Waa habeen Sabti ah.
Isagu wuu jiifaa, wuxuuna ka fekerayaa waxa dhacay maanta.
Kooxda oo dhan waxay ciyaareen kubbadda cagta.
Wiil yar ayaa kubbada u qaabilsanaa inuu u soo qabto marka
ay kubbaddu dibedda uga baxdo garoonka lagu ciyaarayo.
Guuleed wuxuu Feeray wiilkii.
Isagu wuxuu dilay wiil ka yar.

Wiilkaa yar ee "kubbadda raacaa"…
Ahay, ma seexan karo.
Waxaan guriga dhexdiisa ka dareemayaa welwel .
Sidii iyadoo ay agagaarka jirtay wax dhibaato keeni kara..

Iyagu waxay ku ciyaareen kubbadda cusub ee Guuleed leeyhay guryaha la deggen yahay gadaashooda.

Si kedis ayuu Guuleed u gamay darbo xoog badan.

Darbad sidaas oo kale u weyn oo ay adagtahay in la sameeyo.

Kooxdiisii way u sacabtumeen arrintaas, kuwii kalena iyagoo yaabban ayey fiirsadeen falka dhacay.

Waxay yiraahdeen waxaasaa darbo lagaa yiraahdaa.

Waa darbo aad u fiican!.

Waxay ahayd darbo aad u dheer oo aan la ogayn meesha ay xataa ku dhammaatay.

Wax yar dabadeed waxaa yimid wiilkii yaraa ee kubbadda soo qaban jiray wuxuuna yiri kubbaddii ma arag meesha ay ku dhacday.

Iyagoo dhan waxay bilaabeen inay raadiyaan kubbaddii.
Inta ugu badan waxaa raadiyey wiilkii yaraa (isaga ayaa u xilsaaraa ilaalinta kubbada) iyo Guuleed oo (isagu kubbada iska lahaa).
Si kastaba, qofna kuma guulaysan inuu kubbaddii soo helo.
Xaggey ku dhacday kubbaddii?
Guuleed wuxuu ku qayliyey wiilkii yaraa:
" Waa adiga khaladkaaga! Adiga ayaa qaabilsan inaad kubbadda ilaaliso, Kac oo hadda soo raadi".

Laakiin wiilkii yaraa wuu soo noqday – isaga oo aan kubbaddii wadin.
"Ma hayo kubbaddii. Way luntay."
"Kubbadda keen" ayuu ku qayliyey Guuleed,
"Mise waad qarsatay, miyaa?
Oo waxaad rabtaa inaad adigu qaadato markaas kaddib, miyaa?

"Maya, maya" ayuu yiri wiilkaa yaraa isagoo cabsanaya.
Guuleed aad buu u sii xanaaqay wuxuuna u qayliyey kor:
"Haa! Adiga ayaa qaatay kubbaddaydii cusbayd!
Adiga ayaa meel ku qarsaday!
Adigu waxaad doonaysaa inaad hadhow
qaadato!"
"Maya ", ayuu yiri wiilkii yaraa.

"Haa" ayuu yiri Guuleed wuxuuna
u sii xanaaqay si ba'an oo…

…Feer!… ayuu sanqaroorka si toos ah ugaga dhuftay wiilkii yaraa.
Waxaa ka soo daatay dhibco yar oo dhiig ah sankii wiilkii yaraa, markaas waxaa ooyey wiilkii yaraa wuxuuna u carary gurigoodii.

Wax yar kaddib waxay dhammaan ciyaalkii kala aadeen guryahoodii.
Kubbad la'aan dabcan ciyaari ma jirto.

Halkan waxaa jiifa Guleed oo hadda soo jeeda
Maanta waa maalin tiiraanyo leh, kubbaddii waa maqantahay.
Waa maalin dhiig daatay markuu isagu feeray
wiilkii yaraa..
(Maanta wuxuu isagu dilay wiil ka yar).

War!
Maxay ahayd wuxu?
Waxbaa shanqaraya?
Waxbaa guuxaya
Alfons wuu jiifaa isagoo aamusan oo wax
dhegaysanaya
Haa waxbaa dhaqdhaqaaqaya?.

Waakaas marlabaad .
Islamarkiiba wuu fahmay
WAXAA SARIIRTA HOOSTEEDA KU JIRA
BAHAL.
Bahal weyn oo dad cun ayaa halkaas ku jira
Kaasoo cartamaya oo wax ilaalinaya..
Isagu kuma dhici karo inuu fiiriyo.
Laakiin sideedaba uma baahna.
Guuleed wuu ogyahay inuu bahalku joogo halkaas.

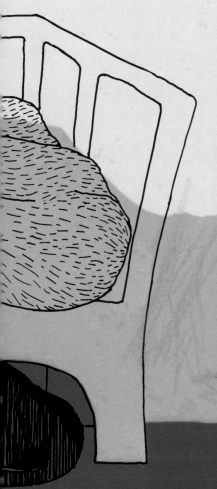

Muddo dheer ayuu sariirta saarraa
isagoo weli soo jeeda
Wuxuuna dhegeysanayey shanqartii
bahalka.
Ugu dambayntii waxaa ku soo dhacday
fikrad ah inuu wiilka yar berri siiyo
baaburka ciyaalka ee midabkiisu jaallaha
yahay .
Ha! waa inuu u naxariistaa wiilka yar.
Subaxnimada aroorta waa inuu sii qaa-
daa baabuurka ciyaalka
Oo uu degdeg ku baxaa lana hadlaa
wiilka yar!
Markaas kaddib ayuu Guuleed si
dhakhso ah u seexday wuuna iska
illaaway bahalkii ku jiray sariirta
hoosteeda.

Subaxdii hore ee maalintii axadda ahayd
wuxuu Guuleed u baxay dibedda.
Wuxuu horay u sii qaatay baabuurkii
jaallaha ahaa.
Marka hore wuxuu sii maray meesha
leexada la isku lulo.
Laakiin wiilkii yaraa ma uusan joogin
halkaas. Markaa kaddib wuxuu aaday
garoonka lagu ciyaaro, laakiin wiilkii yaraa
halkaasna ma joogin.
(Waxaa joogay ciyaal yaryar oo sanduuq
ciid ah ku cayaarayey).
Guuleed wuxuu markaas kaddib aaday
geedka la fuulo ee wax lagu qarsado,
laakiin wiilkii yaraa ma joogin halkaasna.
Waa yaab!
Muxuu wiilkii yaraa u soo bixi waayey sidii caadada u
ahaan jirtay?

Guuleed wuxuu sameeyey dhawr jiiro oo uu ku soo
wareegay,leexadii, sanduuqa ciidda, geedka, haddana
marlabaad leexada, sanduuqa ciidda iyo geedka.
Nasiib darro meelna kama uusan helin wiilkii yaraa.
Maalintii oo dhan meelna kama uusan helin.
Isagu gurigii ayuu dib ugu noqday isagoo wata baabuurkii
ciyaalka.
Ma ayna suura gelin inuu maanta wanaajiyo wiilkii yaraa
sida uu isagu ku talo galay…

Habeenimada ayuu haddana Guuleed ku noqon sariirta isagoo
jiifa oo ka fekeraya…
Maxaa wiilkii yaraa maanta looga waayey dibedda ?
Malaha wuu xanuunsan yahay? Malaha wuxuu ku dhaawacmay
feerkii ku dhacay?
Sanka dhiig ayaa ka yimid…
Dhiig badan ayaa ka yimid, haa?

Sidoo kale waxa dib u soo noqday bahalkii!
Marmar ayaa shanqarteeda laga maqlaa sariirta hoosteeda.
Iyadu way neeftuuraysaa. Waxay leefaysaa cagteeda hoose,
amase way isgeddinaysaa.
Iyadu waxba ma samayso – laakiin halkaas ayey iska jiiftaa.
Guuleed wuu cabsanayaa. Isagu wuxuu ka fekarayaa dhiigga
 soo daatay kaddib markuu wiilkii sanka ka feeray.
Bal ka warran hadduu wiilkii yaraa soo gaari lahaa dhaawac halis ah?
Bal ka warran haddii… uu dhiman lahaa? Oo uu hadda mootanaan
lahaa?

Dhiiggu waa sii
kordhaa marka uu
Guuleed sii xasuustu
sida wax u dhaceen.
Isagu habeenkaas ma
seexan hurdo fiican.

Maalintii ku xigtay oo ahayd maalin isniin ah, isagu ma uusan
doonayn inuu garoonka kubbada cagta u raacoo ciyaalka kale.
Isagu wax xiiso ah uma ahayn arrintaas,
Wuxuu doortay inuu keligiis iska ahaado.
Isagu wuxuu raadinayaa wiilkii yaraa.
Wuxuu ka raadinayaa halkan iyo halkaas.
Waxaa hubaal ah inuu wiilkii-yaraa la jirran yahay
feerkii uu Guuleed ku dhuftay?.
Sidaas darteed waa inuu isagu guriga joogaa?
Guleed ma uusan maantana arag wiilkii.
Halkan iyo halkaas midna ma joogo.
Wiikii yaraa waa la la'yahay sidii wax la afuufay oo kale.
Malaha geeri buu ku sigtay…?

10 khamiis

9 Arbaco

Maalintintii talaadaduna sidaas
ayey ku dhammaatay.
Haddana waxaa la dhaafay
maalintii arbacada.
Haddana waxaa la dhaafay
maalintii khamiista.
Wax arkay wiilkii yaraa ma jiraan.

8 Talaado

Guuleed ma ciyaari karo maalmaha dhexdooda.
Isagu wuxuu:
Raadiyaa, doonaa, baadigoobaa wiilkii yaraa.

7 Isniin

6 Axad

Sidoo kale isagu ma seexan karo habeennimada.
Sababtoo ah waxaa sariirta hoosteeda ku jira bahalkii.
Guuleed waa inuu jiifaa oo ka fekeraa waxyaabo khatar
ah mugdiga dhexdiisa:
• inuu isagu dilay wiil ka yar iyo
• in kubbaddii ay luntay

Sidaas ayey arrini noqotay. Kubbaddii waa la waayey!
Iyagu dhammaantood way raadiyeen.
Wiilka yar wax shaqo ah kuma lahayn in kubbaddu ay lunto.
Haddana wiilkii yaraa laftiisii ayaa maqan intii muddo
toddobaad ah!

Jimcaha waxay wiilashu ciyaarayaan kubbad sida ay caadadu tahay.
Dhammaantood waxay joogaan garoonka, Guuleed mooyee.
Isagu wuu daawanayaa oo keliya.
Waxaa laga yaabaa inuu wiilkii yaraa yimaaddo oo uu
marlabaad noqdo qofka qaabilsan ilaalinta kubbadda?
Laakiin wiilkii yaraa ma uusan iman maalintaasna.

Iyagu wax badan ayey ciyaareen waxayna noqotay mugdi
oo qorraxdii baa dhacday.
Waa xilligii guryaha la kala aadi lahaa dhawaan?
Laakiin markaas!
Meel fog oo ah meesha baabuurta la dhigto, ayuu Guuleed
mugdiga dhexdiisa ka arkay argti..
Waa isagii! Waa wiilkii yaraa!
ISAGU HALKAAS AYUU TAAGAN YAHAY
OO WAA NOOL YAHAY!
Isaga oo caafimaad qaba oo dhammaan jirkiisu fayow yahay
ayuu wiilkii yaraa keligiis meel taagan yahay oo ka daawanaya
ciyaarta kubbada ay ciyaarayaan kuwa isaga ka waaweyn.

Guuleed aad ayuu markaas u farxay!
Isladaqiiqaddii wuxuu u cararay dhinaca uu wiilku ka jiray.
Laakiin wiilkii yaraa wuu ka cararay
(Wuxuu u maleeyey inuu Guuleed doonayo
inuu marlabaad dilo)
Guuleed wuu soo qaban kari waayey.

Habeenkaas waxaa soo daahay bahalkii.
Laakiin markii uu Guuleed damacay inuu seexdo ayuu
wuxuu maqlay shanqar yaab badan leh.
Ma bahalkii baa?
Mise waa wax kale?
Ah, waa aabbe oo jikada nadiifinaya!

Maalinta sabtida ah wuxuu Guuleed aadi doonaa
suuqa si uu aabbihiis wax ugu soo iibiyo.
Sidaas ayuu sabti kasta sameeyaa.

Dukaanka ayuu wiilkii yaraa ku dhex arkay iyadoo dad badani
safka ku jiraan.
Wiilka yar wuxuu haysataa bac nacnac ah wuxuuna rabaa inuu
lacagta iska bixiyo.
Guleed ayaa u dhawaaqay oo salaamay markaas.
Wiilka yar aad ayuu markaas u cabsaday wuxuuna doonayey
inuu mar meesha ka baxo. Laakiin meeshu waa ciriiri, waana
inuu marka hore lacagta iska bixiyaa. Isagu ma carari karo.
Markaas ayuu si dhakhsa u yiri:
"Anigu kubbaddada ma tuurin. Raalli iga ahow.
Way luntay.Iga raalli noqo. Waa run. Hadal wanaagsan"

KÖP! KÖP! KÖP!
BETALA HÄR
BORTVRÄKES!!
12 95
50
30:-
25:-
rabatt !
PRIS 39:-
207:-
20:-
16:80
145:-
4:45

Dukaanka dibeddisa ayuu wiilkii yaraa joogaa isagoo aad
u cabsanaya.
Wuxuu u soo taagay Guuleed bacdiisii nacnaca ahayd oo dhan:
"Adigu waad fiirin kartaa! anigu kubbaddii ma helin. Qaado
dhawr xabbo oo nacnac ah. Wada qaado dhammaan! Bacda oo
dhan qaado!".

Laakiin Guuleed kama fekerayo kubbadii.
Isagu wuxuu aad ugu faraxsan yahay in wiilka yar caafimaad
qabo. Isagu wuxuu doonayaa oo keliya inuu wiilka yar noolaa-
do oo caafimaado, wuxnnuna ku yiri:
" Macno ma laha kubbaddu, nacnac looma baahna.
Kubbadii way iska luntay.
Waxaas oo kale way iska dhacaan. Waxay ahayd darbo dheer
 oo aan anigu gamay…"

Hadda wiilkii yaraa wuxuu dareemayaa fiicnaan. Cabsi dambe kuma jirto isaga. Isagu wuxuu hadda ogyahay inuu dibedda u bixi karo oo marlabaad ciyaari karo. Iyagu waxay isu soo raaceen xagga xaafadda.

"Haa, waxay ahayd darbo aad u dheer", waxaa yiri wiil yare.

"Tan ugu wanaagsan, uguna dheer oo qof ka sameeyo xaafaddayada ayey ahayd"

" Ma sidaasay kula tahay?
Ayuu yiri Guuleed, isaguna wuxuu dareemay caafimaad".

War bahalkiina?
Wuu baxay!
Xawayaan sidaas oo kale ah… aragtidoodu ma badna?